EL ARTE

NEOCLASICISMO

Jesús Pedro Lorente

Edición especial para Promolibro, S. A. de C. V.

ISBN: 84-96249-06-9
Depósito Legal: M. 31.560-2003

© Dastin Export, S. L.
Calle M, número 9, Polígono Industrial Európolis, 28230 Las Rozas (Madrid)
Teléfono (+ 34) 91 637 52 54-36 86
Fax: (+ 34) 91 636 12 56
E-Mail: dastinexport@dastin.es
www.dastin.es

Impreso en Brosmac, S. A.
Composición y fotomecánica: IRC, S. L.

Impreso en España – *Printed in Spain*

Sumario

El Neoclasicismo, arte de la Ilustración

La pintura de al → lado es de unos duques que habitaron en la ciudad de Madrid. Estuvimos en sus jardines y fue muy bonito porque es un lugar con bosque y mucha agua. La señora que era medio caprichosa mando construir un lago para que sus invitados llegaran en una balsa hasta el salón de fiestas. El parque ahora se llama "El Capricho".

La pintura la ví en el Museo del Prado en Madrid.

El Neoclasicismo es el estilo más característico de un período histórico en que la identidad occidental vivió una nueva recuperación de la herencia cultural de la Antigüedad clásica, sobre todo de Grecia, que era admirada como cuna de la filosofía, la ciencia, la literatura, el arte y la democracia. La plenitud de este estilo se alcanzó en la segunda mitad del siglo XVIII y el primer cuarto del XIX, años de apogeo de la Ilustración*. Pero ni todo el Neoclasicismo queda contenido en aquel período histórico, ni fue éste el único estilo imperante entonces, más bien hubo una complicada coexistencia y muy lenta transición de estilos, de manera que el nuevo Clasicismo floreció en competencia con el más recargado Rococó, con un Barroco grandiosamente severo, y con el lento despuntar del Romanticismo.

Apuntes de historia social

El período histórico en que se desarrolló el Neoclasicismo estuvo marcado por grandes cambios sociales, como la revolución urbana*, la revolución industrial*, y la evolución política desde el puro absolutismo al despotismo ilustrado* o incluso al republicanismo —instaurado en los Estados Unidos de América y en Francia, tras las revoluciones de 1776 y 1789—. En definitiva, fue la época en que comenzó la ascensión al poder de la burguesía urbana secular en detrimento de las jerarquías eclesiásticas y de los aristócratas latifundistas. Dichas clases altas aún vivieron momentos de gloria, cuya manifestación cultural más peculiar fue el arte rococó, típico de los suntuosos palacios nobiliarios y de pomposas iglesias católicas. Como los revolucionarios franceses identificaban aquel estilo con la frivolidad aristocrática y el fanatismo religioso, la República abanderó como propio de la sobriedad burguesa y de la racionalidad al Neoclasicismo, que también fue adoptado como arte oficial de la recién inventada masonería*.

Geográficamente, el Neoclasicismo se impuso muy tempranamente en latitudes septentrionales, en donde la austeridad protestante aborrecía el barroquismo decorativo, el cual sin embargo aún pervivió con fuerza en los países latinos. Pero de ninguna manera quedó la península italiana en una

Los duques de Osuna y sus hijos, *de Goya, Madrid, Museo del Prado.*

Detalle de la fachada de la Asamblea Nacional, París.

Cuando llegamos a Paris nos maravillamos con sus construccion
pues parecía que estábamos 200 años atras en la época de
los Reyes. o 2000 años, con el apogeo de los Romanos.

Columna que se alza en la plaza Vendôme de París. Es uno de los mejores exponentes de «columnas conmemorativas» que se levantaron en diferentes ciudades de Europa.

Esta columna esta hecha con el acero de los cañones de la II mundial utilizados por Francia, y esta en Paris en una plaza muy famosa.

situación marginal, pues Roma fue entonces más que nunca meta obligada para muchos viajeros y artistas extranjeros que querían completar allí su formación, y que conocían también los descubrimientos arqueológicos de las excavaciones de Herculano —desde 1738— y Pompeya —desde 1748— o el templo dórico griego en Paestum —desde 1750—. En cambio, la adorada Grecia continuó siendo en gran medida un territorio exótico e inaccesible dominado por los turcos, cuyas riquezas arqueológicas fueron conocidas en Occidente principalmente a través de libros ilustrados. Ni siquiera el gran apasionado del arte griego e ideólogo primero del Neoclasicismo, el estudioso alemán Johann Joachim Winckelmann, nunca viajó a Grecia, pasando los años más fructíferos de su carrera como arqueólogo y teórico del arte en Roma.

Los grandes principios de la estética neoclásica

Uno de los rasgos más característicos de la estética neoclásica fue la subordinación de la personalidad creativa individual al principio de autoridad y a las normativas, emanadas por los jerarcas de las academias, que a su vez solían remitirse a las enseñanzas de los maestros clásicos. Esta sujeción a normas académicas y modelos antiguos comunes hace que cualquier obra neoclásica tenga un aire de familia con todas las demás, siendo difícil a veces diferenciar entre el estilo de un artista y otro, entre una escuela nacional y la de otro país. Cada una de las artes tiende a desarrollar un repertorio formal estereotípico, incluso las citas eruditas de obras antiguas se retoman repetidamente, siendo copiados o remedados hasta la saciedad siempre los mismos ejemplos: el templo dórico en arquitectura, las estatuas de las colecciones vaticanas en escultura, frescos pompeyanos y algunas cerámicas áticas en pintura.

El nuevo ideal consistió en una poética de palideces, claridad, simplicidad, regularidad, simetría, contención, serenidad, equilibrio y civismo público, no porque así hubiera sido el mundo clásico, sino porque aquella civilización fue reinventada en esos términos para predicar lo opuesto al colorismo, sombras, abigarramiento, deformidades, desigualdades, dinamismo, apasionamiento y personalismo de que había hecho gala el gusto barroco. Dicha prédica contra lo barroco y en pro del «buen gusto» clásico se llevó a cabo sobre todo en las academias que tanto proliferaron en esa época: formaban nuevos artistas, tenían prerrogativas para supervisar los trabajos de los ya establecidos y organizaban premios, concursos y exposiciones públicas. Pero no hay que olvidar que los panfletos y la prensa fueron también un fenómeno emergente en esta época, en la que apareció la figura del crítico de arte. Uno de los más famosos, Diderot, martilleaba en sus comentarios sobre las exposiciones del Salon* en París contra los últimos vestigios de la estética barroca, insistiendo en la necesidad de verosimilitud, decoro y sublimidad. Esta última virtud en la que tanto sobresalieron artistas como el arquitecto y grabador italiano Giovan Battista Piranesi o el pintor y dibujante suizo Johan Heinrich Füssli, reclamaba a la obra de arte que excitase en el intelecto profundas reflexiones: un asunto de inspiración típico de esta vena filosófica fue la meditación del hombre moderno ante los monumentos antiguos, tema que anuncia ya la pasión historicista de la cultura romántica.

Retrato de Joachim Winckelmann.

Arquitectura

En el mundo anglosajón el decorativismo barroco nunca había llegado a tener gran aceptación, las clases altas británicas rara vez construyeron palacios rococó; en cambio durante la primera mitad del siglo XVIII los nobles del partido Whig (liberales nacionalistas) pusieron en boga la construcción de residencias campestres de un puro clasicismo.

El ideal clásico rural del palladianismo

A esta moda se le conoce como «palladianismo», pues su modelo más admirado fue la *Villa Rotonda* de Palladio. A imitación suya proliferaron las plantas cuadradas y los alzados dominados por líneas horizontales, interrumpidas con pilastras que recorren toda la altura de la fachada y suelen ser coronadas por estatuas al nivel del tejado. El duque de Burlington, con la asistencia de arquitectos profesionales, fue el líder de este temprano Neoclasicismo, cuyo edificio-enseña fue *Chiswick House,* su casa suburbana al oeste de Londres.

Pero quien ha pasado a la historia como más famoso constructor de estas casas de campo nobles es el escocés Robert Adam, un buen amigo de Piranesi y compañero suyo en sus expediciones arqueológicas italianas, que se convirtió en la segunda mitad del siglo XVIII en el más influyente dictador del gusto en la arquitectura británica y en la decoración de interiores. La casa que diseñó para el duque de Northumberland en las cercanías de Londres, *Syon House,* suele citarse como su mejor creación y es desde luego la más ambiciosa, por la grandiosidad de sus proporciones y el lujo romano de los mármoles y demás decoraciones. Con todo, la mayor aportación de Robert Adam, junto con su hermano James, fue el detallismo en la arquitectura de interiores, creando ambientes unitarios en donde los muros pintados en delicados tonos azulados, verdosos o amarillentos, los finísimos estucos de los techos, los muebles y los suelos, están diseñados minuciosamente, para dar sensación de íntimo confort. Sus imitadores fueron legión tanto en el Reino Unido como en los Estados Unidos de América: en ambos países el típico sueño de toda familia patricia es desde entonces tener una casita rural o suburbana rodeada

Templo del Amor, *de Mique, jardines del Palacio de Versalles.*

A este Palacio si fui al igual que a sus jardines. quiero decirte que donde hoy son jardines antes era un gran pantado pero Luis XIV EL REY SOL lo mando secar y hacer el jardin mas bello de Europa.

El Palacio de Versalles, hacia 1668, en una pintura de Pierre Patel.

Lo que esta al frente del palacio son los jardines de Versalles es inmenso la vista no te alcanza y son preciosos. ademas tiene varios lagos artificiales. Es dificil imaginar sus colores porque tiene varios tonos de verde. y su construccion es de cantera de varios tonos.

La Cantera es una piedra que se utiliza para la construccion.

de verde, con una blanca veranda y un pórtico neoclásico de frontón triangular sobre columnas dóricas...

Es difícil buscar paralelismos a este ideal clásico tan arraigado en el imaginario anglosajón, aunque no falten en el continente europeo ejemplos de ilustres villas suburbanas neoclásicas. La más famosa es *Villa Albani,* la casa y jardines construidos entre 1756 y 1765 en las afueras de Roma, cerca de la puerta Salaria, por el cardenal Alessandro Albani. Aunque contrató los servicios de un arquitecto, el responsable último de las obras fue el propio cardenal, que planeó todo el conjunto como un contenedor hecho a medida para exponer su riquísima colección de antigüedades. El lugar es pues un gran monumento al gusto de entonces, tanto más cuanto que el gran arqueólogo Johann Joachim Winckelmann trabajó allí como bibliotecario y el más prestigioso pintor de la época, Anton Raphel Mengs, era también huésped habitual de la casa y realizó en ella decoraciones al fresco, así que *Villa Albani* merece un puesto de honor en cualquier historia del Neoclasicismo, aunque lo cierto es que la arquitectura en sí no es muy original.

Detalle de una de las fachadas del Museo del Prado, Madrid.

Esta es una de las entradas al Palacio del Prado que ahora es un museo. Este es de cantera muy blanca.

Fachada neoclásica de la Asamblea Nacional francesa.

Este es un edificio en París. Verdad que parece del tiempo de los romanos.

El clasicisimo visionario de los arquitectos utopistas

Originalidad no falta en cambio a los edificios ideales imaginados por Etienne-Louis Boullée y Claude-Nicolas Ledoux, dos arquitectos franceses que diseñaron una nueva arquitectura, que creían sería la propia del mundo moderno que entonces comenzaba, tras la Revolución Francesa. Tales utopías no se hicieron realidad construida, pero nos son conocidas a través de los tratados que publicaron y de los proyectos guardados en archivos. Con sus nuevas propuestas arquitectónicas, ambos pretendieron una ruptura total con la retórica tradicional de frontones, capiteles o columnas, proponiendo en su lugar formas puras y desadornadas, hasta llegar a extremos de arquitectura-ficción que imaginan los edificios del futuro en forma de esfera, de cubo, de pirámide truncada, etc. Esta pasión por las figuras geométricas es de substrato profundamente clásico, como lo es también su querencia por edificios exentos que surgen en áreas retiradas de la civilización y en medio de la naturaleza tan al gusto de la poética de Virgilio.

En su obsesión por la geometría pura, a Boullée parecía molestarle la idea de que sus grandiosos proyectos pudieran adaptarse a la vecindad de otros edificios: su dibujo más célebre, un diseño de *Cenotafio dedicado a Isaac Newton,* es una mole esférica de 152 metros de diámetro alzándose en medio de ninguna parte, pues todo intento de contextualización se reduce a unas diminutas figuras humanas y cintas de arbolado, cuya función es resaltar la monumentalidad de las proporciones.

En cuanto a Ledoux, hay que tener en cuenta que en sus años de intensa actividad profesional antes de la Revolución se había forjado una reputación proyectando residencias campestres, y hasta su obra de más envergadura, las *Salinas de Arc-et-Senans* en el Franco Condado, se levantaba sobre una planta semicircular en medio de la naturaleza. Quiso ampliar ese proyecto para convertirlo en un utópico asentamiento industrial, la ciudad ideal de Chaux, que imaginaba como un gran círculo de edificios alrededor de la casa del director, exenta como si fuera un templo, y también proyectó originales edificios periféricos, como una piramidal casa de leñadores, una cilíndrica casa de los guardas del río o un albergue para guardias rurales, que parece un OVNI en forma de esfera posado en medio de un paisaje clásico.

Arquitecturas para la ciudad: los edificios cívicos

Palacio Real de Madrid.

La huella del Neoclasicismo también quedó marcada profundamente en el ámbito urbano, y aún hoy es clara la permanencia de estereotipos neoclásicos en el caso de muchas de las nuevas tipologías de edificios que se desarrollaron a finales del siglo XVIII y principios del XIX, para los nuevos usos y necesidades implantados por los cambios políticos, sociales y económicos: bancos, museos, teatros, bibliotecas públicas, sedes de gobierno y de parlamentos, logias masónicas, clubes, bolsas de comercio, hospitales, hospicios, escuelas, almacenes, complejos industriales, cárceles, mausoleos civiles y cementerios públicos, etc.

Los revolucionarios franceses veían estas nuevas arquitecturas cívicas desde un punto de vista político, como

En este palacio habitaron muchos años varios reyes. Pero los de hoy no viven ahi. (Rey Felipe y la Reina Sofía.). solo sirve para museo y eventos. es Gigantesco y muy blanco.

Royal Crescent, Bach, Avon.

Este edificio parece de Paris. Lo que pasa es que hubo un tiempo llamado Neoclasicismo que quería imitar las antiguas construcciones romanas.

Fachada este del edificio del Senado, Washington, D.C.

el relevo histórico a los palacios aristocráticos y a las iglesias, que habían sido el foco de las artes en el Antiguo Régimen. Pero no fue Francia el país más innovador en este tipo de arquitecturas, que continuaron sin rupturas la tradición barroca de severa monumentalidad heredada de Luis XIV. Este continuismo queda perfectamente ejemplificado en los dos edificios que suelen citarse como más representativos del Neoclasicismo en París: el *Pantéon* —primeramente *iglesia de Santa Genoveva*— de Soufflot y la *iglesia de la Magdalena* —durante la República *Templo de la Fama*—, de Vignon, ambas comenzadas bajo Luis XVI y terminadas por Napoleón, las dos profusamente reincidentes en una frígida acumulación de columnatas corintias y frisos esculpidos.

Tanta recargada retórica contrasta con la innovadora sencillez de Juan de Villanueva, el mejor arquitecto español del Neoclasicismo, especialmente en su obra maestra, el *Museo del Prado,* comenzado en 1790. Su austera fachada, en contra de lo usual en la época, no está presidida por frontones triangulares, ni erizada de estatuas sobre pilastras gigantes, ni coronada de cúpulas. Igualmente parco en adornos es el estilo del más original, versátil y prolífico

Museos para el pueblo sí, pero ¿dónde?

Suele considerarse al *Ashmolean Museum,* abierto en 1683, y al *Britich Museum,* fundado en 1753, como los primeros museos públicos, pero lo cierto es que estas instituciones inglesas, inicialmente instaladas apretadamente en la nueva *School of Natural Philosophy* de la Universidad de Oxford y en la londinense *Montagu House,* respectivamente, permitieron un acceso muy restringido hasta finales del siglo XVIII. Para entonces, las cortes ilustradas de Estocolmo, París, Roma, Florencia, Dresde, Postdam, Kassel y Viena ya habían instalado lo mejor de sus colecciones dinásticas de arte y antigüedades en galerías palatinas, en las que se franqueaba regularmente libre entrada al público elegante —la apertura del Louvre a todo el pueblo no llegaría hasta 1793—. Ninguno de estos edificios había sido construido para tal uso, salvo el típicamente neoclásico *Museum Fridericianum,* construido entre 1769 y 1777 por el landgrave Federico II de Kassel enfrente de su residencia. El primer edificio concebido exclusivamente como museo destinado a la ciudadanía y fuera de los recintos áulicos fue el *Museo del Prado* —originalmente destinado a Museo de Ciencias Naturales—. Luego, la más ambiciosa apuesta de ubicación y arquitectura nuevas para museos surgió en Munich y sobre todo en Berlín, donde la dinastía Hohenzollern fue construyendo a partir de 1823 la impresionante «Isla de los Museos».

arquitecto inglés de aquel tiempo, John Soane. Su gran
reputación se basó en el encargo de reconstruir en
grandiosas proporciones el *Banco de Inglaterra,* símbolo del
creciente poder financiero de la nación, tarea que acometió
con una inusitada libertad de lenguaje, reduciendo al
mínimo el recurso a pilastras, columnas, capiteles o
entablamentos, que hubieran entrecortado la unidad de los
vastos espacios que él creó, alumbrados a menudo por
claraboyas. Pero la poética luz cenital y la pureza estructural
son también características destacables en la elegante
pinacoteca* que diseñó para el *Dulwich College,* al sur de
Londres, aunque por fuera recuerda a un frío mausoleo y no
por casualidad, pues el centro de la galería es una rotonda
donde están los dos sepulcros de los fundadores.

Como se ve, la edificación de museos públicos se había
convertido en una innovación típica de la cultura neoclásica,
de hecho las más famosas y emblemáticas arquitecturas de
este estilo en muchos países son precisamente museos: aparte
de los ya comentados, merecen ser citados en lugar de honor
ejemplos como la Gliptoteca* de Leo von Klenze en Munich,
el Museo Antiguo de Karl-Friedrich Schinkel en Berlín, o el
nuevo Museo Británico de Robert Smirke en Londres.

*Fachada del Museo Británico,
Londres.*

Tambien aquí fuí. En este lugar están los sarcófago egipcios
Ramses, Nefertiti. y una piedra llamada <u>La Roseta</u>
que fue la que les ayudo a describir los jeroglíficos antiguos

Detalle de la fachada del Capitolio, Washington, D. C.

Zonas verdes para vivir y para el ocio

En Gran Bretaña, el arquetipo aristocrático de la casita palladiana en el campo se convirtió en un sueño burgués. La población de las ciudades aumentaba enormemente, pero quien podía permitírselo quería una residencia con vistas a la naturaleza. Esto produjo una original aportación: la construcción de casas idénticas en hilera —*terrace*— alrededor de un parquecillo redondo —llamado *circus* o, si tiene forma de media luna, *crescent*—. Suele señalarse como su cuna la ciudad de Bath, cuyos baños termales hicieron de ella a mediados del siglo XVIII el destino turístico favorito de las clases acomodadas inglesas, para cuyo alojamiento se edificaron urbanizaciones de casitas adosadas con fachadas de piedra al estilo palladiano. Ésta era la especialidad del constructor local John Wood y de su hijo homónimo, que

crearon el *King's Circus* y el *Royal Crescent,* respectivamente, los primeros ejemplos de estas dos tipologías.

Pronto esta moda llegó a Londres, donde proliferaron también esas calles de altas y apretadas mansiones mesocráticas alrededor de lonchas circulares o semicirculares de espacios verdes. A menudo dichas urbanizaciones se edificaron en los terrenos de antiguas residencias ajardinadas de aristócratas necesitados de dinero, siendo el duque de Bedford quien sentó precedente creando *Bedford Square.* Pero ningún noble estaba más lleno de deudas que el propio príncipe regente, futuro Jorge IV, que se vio abocado por ellas a la especulación inmobiliaria en los parques reales de la mano de un amigo que presumía de ser arquitecto, John Nash. En Regent's Park construyeron las viviendas de *Cumberland Terrace* y en Saint James Park la urbanización

Iglesia de la Magdalena, París.

Por supuesto, Of course, tuve que ir. se llama como yo.

Carlton House Terrace, pero su mayor éxito fue la idea de unir ambas por una gran avenida señorial que recorre el centro de Londres: la elegante Regent Street, que en parte también discurre marcando una curva. Fue la zona neoclásica de moda para el paseo, las compras y los famosos clubes donde los caballeros se reunían en ratos de ocio.

Entramos con esto en un punto clave del ideal de la Ilustración, el ocio civilizador, lo cual en urbanismo trajo consigo una gran atención al recreo del pueblo que iba superpoblando las ciudades, al que se intentaba refinar en foros de encuentro con las gentes más elegantes y con la naturaleza. Es típico del Neoclasicismo expandir las ciudades mediante bulevares arbolados y explanadas verdes para el paseo y la merienda —el *Paseo del Prado* en Madrid, *The Mall* en Londres, la *Esplanade des Quinconces* en Burdeos, los *Champs Élysées* y el *Champ de Mars* en París—, cosa que se completó con la apertura al público de grandes parques allí donde había habido cotos reales de caza y de maniobras militares —*Hyde Park* en Londres, el *Prater* en Viena, *Tiergarten* en Berlín—. Esta política culminará a lo largo del siglo XIX en todas las grandes capitales.

Por último, podría destacarse como lo mejor del Neoclasicismo desde el punto de vista urbanístico la amplitud de actuación. Mientras que el urbanismo barroco solía intervenir en la ciudad sólo en torno a puntos concretos —iglesias, plazas, cruces de calles—, ahora abundan los planes generales de renovación de zonas enteras —como en la *New Town* de Edimburgo, los ensanches de Dublín, el distrito portuario de Trieste, el barrio americano de Nueva Orleáns, el británico de Calcuta— o la reconstrucción general de ciudades —Lisboa, San Sebastián, Berlín— y hasta la planificación total de nuevas capitales —San Petersburgo, Helsinki, Williamsburg, Washington—. El resultado son esquemas de gran regularidad, que suelen inspirarse en el precedente romano de las calles en cuadrícula, y hasta los nombres evocadores que se usan para los lugares principales aluden a Roma —en varias ciudades norteamericanas al edificio donde se reúnen los senadores se le llamó Capitolio.

Monumentos para un mito clásico de la ciudad

La nostálgica relación mental con la urbe romana es todavía más clara en el empeño que ponen muchas ciudades por recuperar antiguas tipologías de arredo urbano, por ejemplo *las columnas conmemorativas* (en París, Dublín, Baltimore, San Petersburgo, Londres, Munich y Berlín), *las puertas y arcos monumentales* (los del Carrousel y del Triunfo en París, la Puerta de Aix en Marsella, las Puertas de Alcalá y Toledo en Madrid, la Puerta de la Paz en Milán, los Propileos en Munich, la Puerta de Brandeburgo en Berlín) y *los templetes o panteones* dedicados a la paz, o a la fama, o a la memoria de los ilustres (la Magdalena y el Panteón en París, el Walhala cerca de Ratisbona, San Francisco el Grande en Madrid).

Esta identificación con la antigua Roma fue exacerbada sobre todo en París bajo Napoleón Bonaparte, el nuevo conquistador de Europa, en cuyo honor se realizaron arcos de triunfo y estatuas que lo representaban como César, a lo cual Londres respondió reinventándose a sí misma como la Nueva Atenas, la capital de un régimen parlamentario cabeza de un gran imperio marítimo: una escultura dorada de Pallas Atenea preside el friso y porche clásicos de uno de los más elegantes clubes fundados entonces, el apropiadamente llamado *Athenaeum*.

Puerta de Brandeburgo, Berlín.

Esta sólo la conozco en fotografías. Esta en Alemania pero espero visitarla.

Arco del Triunfo, París.

Este si lo vi. Atras está la torre Eiffel.

El Capitolio, Washington.

ESCULTURA

En teoría, la escultura debiera considerarse como el arte neoclásico por excelencia, pues en este caso la reivindicación de una vuelta a la estética de la Antigüedad clásica pudo apoyarse en una gran abundancia de modelos grecorromanos muy populares, cosa que no sucedía con los edificios y menos aún las pinturas antiguas, cuyo conocimiento se reducía, salvo excepciones, a ruinas y fragmentos arqueológicos.

La homogeneidad de un arte aue mira al pasado

Pero en la práctica, el peso de los modelos asfixió la creatividad de los escultores de tal manera que la frigidez repetitiva, ya apuntada en algunas arquitecturas, se convierte aquí en defecto común.

Como en la escultura romana, abundaron los temas mitológicos y retratos trabajados preferentemente en mármol o bronce, abandonándose la madera policromada y las combinaciones coloristas barrocas con piedras y metales. Roma, por cierto, todavía continuó siendo la capital mundial del arte neoclásico en lo referente a la escultura —mientras que París, Londres y otras capitales le disputaron su primacía en arquitectura y pintura—. En la Ciudad Eterna se encontraron y trabaron amistad muchos de los escultores más famosos, influyéndose mutuamente.

Eso sí, en todas partes hubo una numerosísima producción escultórica, pues la demanda privada y eclesiástica se vio reforzada por la necesidad de estatuas y relieves para los ubicuos frontones, frisos, hornacinas y coronamientos de los edificios neoclásicos y para los arcos de triunfo u otros monumentos cívicos. La escultura fue quizá el arte más característico del Neoclasicismo, aunque no necesariamente el mejor; por más que los escultores fueron muchos y la calidad media de sus trabajos mostrase buena profesionalidad, la lista de singulares grandes maestros es muy breve.

El triunfo de Canova

La transición del dinamismo gesticulante barroco al recogimiento y contención neoclásicos puede ejemplificarse en obras maestras como el *Retrato sentado de Voltaire* (París, Teatro de la Comedia Francesa; réplica en Montpellier, Museo Fabre), del francés Jean-Antoine Houdon, que en

Hebe, *de Antonio Canova; San Petersburgo, Museo del Ermitage (derecha).*

Orfeo, *de Antonio Canova;*
Venecia, Museo Correr.

1781 representó al filósofo en mármol a tamaño natural con un gesto tenso que quiere recordar al *Moisés* de Miguel Ángel: el retratado parece listo para una inminente intervención en la conversación que está escuchando atentamente envuelto en un ropaje que recuerda una toga, desprovisto de la peluca dieciochesca para parecer más romano, sentado como un viejo patricio en su cátedra, con un rostro en el que se marca vivamente la ironía de su carácter.

Una obra contemporánea comparable, tanto por tratarse de un mármol del mismo tamaño, como por las citas miguelangelescas y romanas —imita al *Hércules Ludovisi,* y

Es muy brillante pero de color cafe con leche descolorido y un poco amarillo.

Eros y Psiquis se abrazan, de Antonio Canova; París, Museo del Louvre.

*Vista del conjunto
escultórico que
corona el Arco del
Triunfo de París.*

L'ARMEE FRANÇAISE EM
UNE TROISIEME
LES FRANÇ
LA BAVIERE EST DELIV
NAPOLEON ENTRE

UEE A BOULOGNE MENAÇAIT L'ANGLETERRE
TION ECLATE SUR LE CONTINENT,
OLENT DE L'OCEAN AU DANUBE.
ARMEE AUTRICHIENNE PRISONNIERE A ULM
VIENNE IL TRIOMPHE A AUSTERLITZ.

En las páginas de atrás está en arco de Triunfo por la parte de atrás, y este es el frente.

representaciones halladas en Pompeya y Herculano—, es *Teseo y el Minotauro* (Londres, Museo Victoria y Alberto), que lanzó la carrera de su autor, Antonio Canova, un escultor véneto de veintidós años recién llegado a Roma. Como tantos jóvenes extranjeros, fue a la capital de los Estados Papales armado de cartas de presentación para sus compatriotas bien instalados allí, entre ellos el embajador de Venecia, que le encargó una escultura dejando el tema a su elección. El resultado fue un paradigma del Neoclasicismo, no sólo por el tema que Canova escogió, la victoria de la inteligencia humana sobre las fuerzas de la temible bestia y su tenebroso laberinto, sino también porque en vez de representar el dinamismo de la lucha en plena acción, al gusto de lo que hubiera hecho un artista barroco, prefirió el momento de después, en que el joven héroe medita sentado sobre el monstruo agonizante formando una composición piramidal.

El éxito de esta obra y su visión tranquila de la muerte fue tal que Canova obtuvo en seguida el encargo de los monumentos fúnebres de los Papas Clemente XIII y XIV, y a partir de ellos muchos otros grupos sepulcrales, sobre todo el que más le ilusionó: el monumento al pintor Tiziano en la iglesia veneciana de Santa Maria dei Frari, para el que ideó una pirámide con una procesión de figuras. Este proyecto no se llegó a realizar, pero le sirvió de base para una de sus obras más famosas, el *Monumento fúnebre a la archiduquesa María Cristina de Austria* (Viena, iglesia de los Agustinos), donde aparecen de nuevo mayestáticas figuras en melancólica reflexión, inspiradas en estelas funerarias antiguas. A este monumento siguieron muchos otros sepulcros y cenotafios*, en iglesias de Roma, en la iglesia/panteón nacional de Santa Croce en Florencia, y en otras partes —el propio Canova está enterrado en un templo/panteón diseñado por él mismo en su pueblo natal, Possagno, cerca de Venecia.

Ciertamente, los mausoleos y esculturas funerarias fueron un filón creativo para el que el arte neoclásico parecía especialmente apto, tanto o más que para la temática mitológica, para los que Canova tuvo una especial sensibilidad. Es preciso reconocer, más allá de los prototipos clásicos que le sirvieron de inspiración, la intensidad mental y sensualidad erótica de sus mejores esculturas mitológicas, como *Eros y Psiquis* (París, Museo del Louvre), *Las tres Gracias* (Londres, Museo Victoria y Alberto), *Hércules y Licas* (Roma, Galería Nacional de Arte Moderno) o *Perseo triunfante* (Roma, Museos Vaticanos). Estas

Damoxenos, de Antonio Canova; Roma, Museos Vaticanos (derecha).

nunca desbordantes dosis de naturalismo, conjugadas con evocaciones de famosos prototipos clásicos, todavía son más evidentes en muchos de sus retratos, en los que compatibilizó a un tiempo la representación de un cuerpo atractivo o un carácter fuerte con la asimilación del personaje a antiguas esculturas famosas de héroes y dioses mitológicos: así ocurre por ejemplo en el imponente retrato en mármol de *Napoleón como Marte pacificador* (Londres, Apsley House; réplica en bronce en Milán, Palacio Brera) y sobre todo en el sensual retrato de la hermana de éste, *Paolina Borghese como Venus* (Roma, Galería Borghese).

Tampoco en esto le faltaron imitadores en todas partes, pero sobre todo entre los escultores que pasaron por Roma: Gottfried Schadow le admiró profundamente y en su obra más conocida, *Las princesas Luisa y Federica* (Berlín, Museos Estatales), muestra cuánto supo desarrollar el gusto de Canova por dotar de serena humanidad a sus figuras; en cambio otro amigo y admirador suyo, José Álvarez Cubero, le secundó sobre todo en la mezcla de imitación de prototipos clásicos y *terribilità* miguelangelesca, como prueba su homenaje a los héroes de la Guerra de Independencia en su alegoría de la *Defensa de Zaragoza* (Madrid, Museo del Prado, Casón del Buen Retiro).

El Neoclasicismo severo de Thorvaldsen y los grequizantes

Canova sólo conoció un competidor a su altura, el danés Bertel Thorvaldsen, quien también formó un taller con numerosos discípulos que hizo dura competencia al de Canova en el acaparamiento de grandes encargos internacionales. También él pasó la mayor parte de su vida en Roma, pues llegó a ella con veintisiete años en 1797 y allí se quedó durante cuarenta años, volviendo sólo a Copenhague para acabar su vida —como Canova, él también está enterrado en su ciudad natal, en un museo-mausoleo que contiene su tumba y modelos de casi toda su obra—. Si Canova fue el favorito del Papa, de Napoleón y de sus émulos, a Thorvaldsen le jalearon sobre todo los críticos y mecenas de los países no latinos. Significativamente, fue un coleccionista inglés quien le encargó en 1803 la escultura en mármol que cimentó su reputación: *Jasón* (Copenhague, Museo Thorvaldsen). El héroe mitológico que partió en busca del vellocino de oro le sirve como excusa para proponer un prototipo de canon*

Napoleón como Marte Pacificador, *de Antonio Canova; Milán (derecha).*

Venus, *de Antonio Canova,*
Museo Borghese, Roma.

Perseo,
*Museos
Vaticanos,
Roma*.

Damoxenos,
Museos
Vaticanos,
Roma.

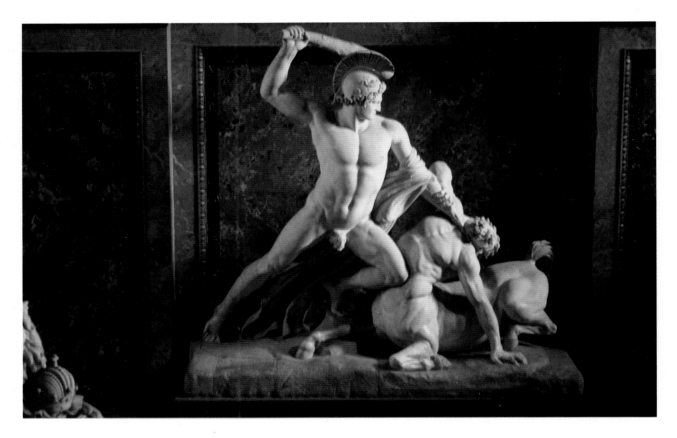

clásico, imitando al propuesto en el siglo v a.C. por el escultor griego Policleto con su *Dorzíforo:* también aquí la figura flexiona relajadamente una pierna y avanza hacia adelante el brazo que porta la lanza inclinada, manteniendo en firme tensión los otros miembros.

Este estudiado contrapposto* vuelve a aparecer en otra de sus más famosas esculturas de entonces: la diosa-camarera *Hebe* (Copenhague, Museo Thorvaldsen). La ruptura con el dinamismo y naturalismo barrocos es aquí total, pues la figura casi recuerda un icono por su estatismo y frontalismo, mientras que Canova nunca llegó a abandonar la tradición barroca de buscar una multiplicidad de puntos de vista posibles alrededor de sus esculturas. Esto todavía es más evidente en el grupo *Ganímedes y el águila* (Copenhague, Museo Thorvaldsen), donde ambos aparecen de espaldas en todos los ángulos de visión excepto en uno en que los dos están semivueltos en tres cuartos hacia el espectador, cuya mirada tampoco en este caso llega a encontrarse nunca con la de las figuras, pues Thorvaldsen no busca la comunicación psicológica ni la caracterización de temperamentos, sino que gusta de la frialdad en todo, incluyendo la pulidez del

Teseo matando un centauro,
Antonio Canova,
Kunsthistorisches Museum,
Viena.

mármol, tan diferente de la sensualidad en el acabado de carnes y pliegues típico de Canova.

Dado su gusto por dar preponderancia a la visión frontal, no es de extrañar que, aunque Thorvaldsen consiguió encargos prestigiosísimos de estatuas monumentales para las ciudades de Varsovia, Munich, Londres, Maguncia, Stuttgart y Lucerna, alcanzase sus mayores triunfos en la realización de relieves decorativos para frisos arquitectónicos, pues en ellos era natural ese punto de vista único. Precisamente, la obra clave que marcó en 1812 el ápice de su carrera, y el ocaso de la de Canova, fue el grandioso friso de treinta y cinco metros sobre *El triunfo de Alejandro Magno* (Roma, Palacio del Quirinal), encargo que consiguió desbancando los proyectos y las expectativas del italiano. En estos relieves, con sus alusiones al cortejo tallado por Fidias en el Partenón, aparece más claro que nunca su pasión por el arte griego.

Igualmente estricto en su helenismo y practicante de un clasicismo severo fue su amigo el inglés John Flaxman, también establecido largos años en Roma. Sus personajes, como los de Thorvaldsen, rehúyen toda familiaridad con el mundo de los humanos; no en vano se trata casi siempre de dioses y héroes o de fantasmas que pertenecen ya al mundo de los muertos. Su escultura más conocida es el *Monumento sepulcral del almirante Nelson* (Londres, catedral de San Pablo), que es muy representativo de su abundante escultura funeraria; pero aún fue más conocido por sus muchos diseños y decoraciones para porcelanas de relieves blancos sobre fondo azulado, producidas por la manufactura «Etruria» de Josiah Wedgwood —que fabricaba finas piezas inspiradas en cerámicas clásicas con técnicas industriales, haciendo dura competencia a la carísima porcelana rococó—. Flaxman tuvo también una fama mundial como dibujante, por sus bellísimas ilustraciones de trazo lineal que admiró el mismo Goya, para ediciones de obras clásicas como la *Ilíada,* la *Odisea,* las tragedias de Esquilo, etcétera.

En toda su obra, Flaxman y Thorvaldsen evidenciaron su pasión por Grecia y un conocimiento directo de los recientes descubrimientos arqueológicos de arte griego, que tanto influyeron en ellos y otros artistas del septentrión europeo, mientras que Canova basaba su idea de clasicismo en la tradición académica y en las copias romanas conocidas desde siempre.

PINTURA

La vanguardia antibarroca fue capitaneada por ideólogos que predicaron e impusieron la nueva estética desde los más altos cargos académicos.

Pintores pioneros del Neoclasicismo

El más influyente de todos ellos fue Anton Raphael Mengs, uno de esos artistas cosmopolitas típicos del siglo XVIII que anduvieron de una capital a otra, al servicio de diferentes cortes reales. Hijo de un judío alemán que trabajaba como miniaturista en la corte de Dresde, tuvo una activa vida profesional que le alejó tanto de la cultura judía contraria al arte figurativo, como de su país natal. Su patria adoptiva fue Roma; allí se formó, se casó, se convirtió en el gran amigo de Winckelmann y en máximo dirigente de la Academia de San Lucas, y aunque pasó sus últimos años en Madrid, donde también fue director de la de San Fernando, volvió a Roma para morir. Lo mismo que Winckelmann, a quien dedicó su libro más famoso, *Consideraciones sobre la belleza y el gusto en la pintura,* este otro alemán romanizado tuvo un inmenso prestigio como teórico del arte en toda Europa —sus obras completas fueron impresas en italiano, español, francés, alemán e inglés.

No menos fama tuvo en vida como pintor, pues se le consideraba el nuevo Rafael, aunque lo cierto es que su calidad fue muy irregular. Suele comentarse como primer manifiesto del Neoclasicismo en pintura su fresco *El Parnaso* (Roma, Villa Albani), que pintó entre 1760 y 1761 en la bóveda de la galería del palacete suburbano que se hizo construir el cardenal protector de Winckelmann. Su composición abandona el ilusionismo de escorzos y rompimientos de cielos típicos de las pinturas barrocas de techos y se inspira claramente en el fresco homónimo de Rafael en las Estancias Vaticanas. Pero no todos los frescos de tema mitológico o alegórico que pintó Mengs fueron tan neoclásicos, pues los que hizo para los Palacios Reales de Madrid y Aranjuez se adaptan del todo al decorativismo tardobarroco allí imperante. Sin duda, sus obras más auténticas y mejores son las más íntimas, como el *Retrato de Winckelmann* (Nueva York, Museo

Maria Guiseppina di Lorena, de A. R. Mengs. (derecha).

Las Sabinas,
*de Jacques-Louis
David; París,
Museo del Louvre.*

Museo del Louvre.

En París vi
a la Gioconda
o Monalisa y
a la Venus
de Milo. Si
la que no tiene
2 manos.

La muerte de Sócrates,
*de Jacques-Louis David; Nueva
York, Metropolitan Museum.*

Metropolitano de Arte) y su famoso *Autorretrato* (Madrid,
Museo del Prado).

Formado igualmente en Italia y así mismo cosmopolita y
gran viajero como Mengs, el inglés Joshua Reynolds, primer
presidente de la Real Academia de Arte de Londres, fue
también famoso por sus escritos teóricos, los exitosos
Discursos, en los que proclamó la primacía del dibujo sobre
el colorido y la superioridad de la pintura mitológica o de
griegos y romanos sobre el retrato contemporáneo, el
paisaje y el género. El mismo intentó a veces predicar con el
ejemplo, con obras como la *Alegoría de la Teoría del Arte*
(Londres, Real Academia de Arte), *La muerte de Dido*

(Londres, Colección Real) o *Hércules de niño* (San Petersburgo, Museo del Ermitage). Pero, aún más que Mengs, él estaba naturalmente superdotado como retratista, siendo su especialidad los retratos que llamaba de «gran estilo», en los que dignificaba a sus modelos representándolos como personajes antiguos, mitológicos o alegóricos: por ejemplo, el triple retrato de *Las hijas de William Montgomery como las tres Gracias* (Londres, Galería Nacional) o su propio *Autorretrato a la manera de Rembrandt* (Londres, Real Academia de Arte), en el que posa junto a un busto de su admirado Miguel Ángel, vestido con la toga y birrete de doctor por la Universidad de Oxford.

El juramento de los Horacios, *de David; París, Museo del Louvre.*

Retrato de Master Hare, *de Sir Joshua Reynolds.*

Capitán Bligh, *de Sir Joshua Reynolds.*

La edad de la inocencia, *de Sir Joshua Reynolds.*

Coronel George Coussmaker, *de Sir Joshua Reynolds*.

El infante Samuel orando, *de Sir Joshua Reynolds.*

Susannah Beckford, *de Sir Joshua Reynolds.*

Lady Betty Hamilton, *de Sir Joshua Reynolds*.

El ideal de lo sublime en el retrato íntimo y en el paisaje clásico

Incluir entre lo mejor del Neoclasicismo un epígrafe dedicado a «géneros menores» casi parece una contradicción en los términos, pues las preceptivas teóricas de las academias menospreciaban todo tema que no fuera mitológico o histórico; sin embargo, mientras Mengs o Reynolds fueron muy neoclásicos en sus discursos y no tanto en sus obras, otros pintores practicaron en cuadros menos ambiciosos una constante búsqueda de la idealización y de lo sublime.

Una especial capacidad para desarrollar este tipo de sensibilidad mostraron la suiza Angelica Kauffmann y la francesa Élizabeth-Louise Vigée Le Brun. Se esperaba entonces de las pintoras que se especializasen en cuadros de flores o temas femeninos, y se consideraba la acuarela y el pastel como técnicas más apropiadas para ellas —quizá por el precedente sentado en la primera mitad del siglo XVIII por la veneciana Rosalba Carriera—. Pero en particular Vigée Le Brun fue una consumada pintora al óleo y perfectamente comparable a Reynolds en su especialidad, que eran los retratos «de gran estilo». En ellos sublima a los personajes con poses o atuendos a la antigua, tal como ocurre en su propio *Autorretrato con sombrero de paja,* de 1782 (Londres, Galería Nacional), donde posa imitando un famoso retrato de la esposa de Rubens. Fue la retratista favorita de la reina María Antonieta, y al estallar la Revolución Francesa partió al exilio viajando por Nápoles, Viena, San Petersburgo y otras cortes europeas, donde se forjó una gran reputación.

Ahora bien, la búsqueda de la sublimación intimista de la realidad llegó a su máxima expresión en la pintura de paisaje. Por supuesto, la tierra prometida del paisaje clásico era Italia, pero salvo excepciones, como el veneciano Bernardo Belloto, fueron sobre todo extranjeros venidos en *Grand Tour** quienes más inspiradamente practicaron la *veduta* (vista) del clásico paisaje ideal con ruinas y algún personaje. Entre los mejores cabe destacar al tirolés Joseph Anton Koch y al francés Hubert Robert; pero el más poético de todos los apóstoles del idealismo* neoclásico fue sin duda el galés Richard Wilson, que consagró la mayor parte de su obra a idílicos paisajes italianos de

Madame Elisabeth, *de Elisabeth Vigee-Lebrun*.

Retrato de Mary Adelaide, *de Jean Marc Nattier.*

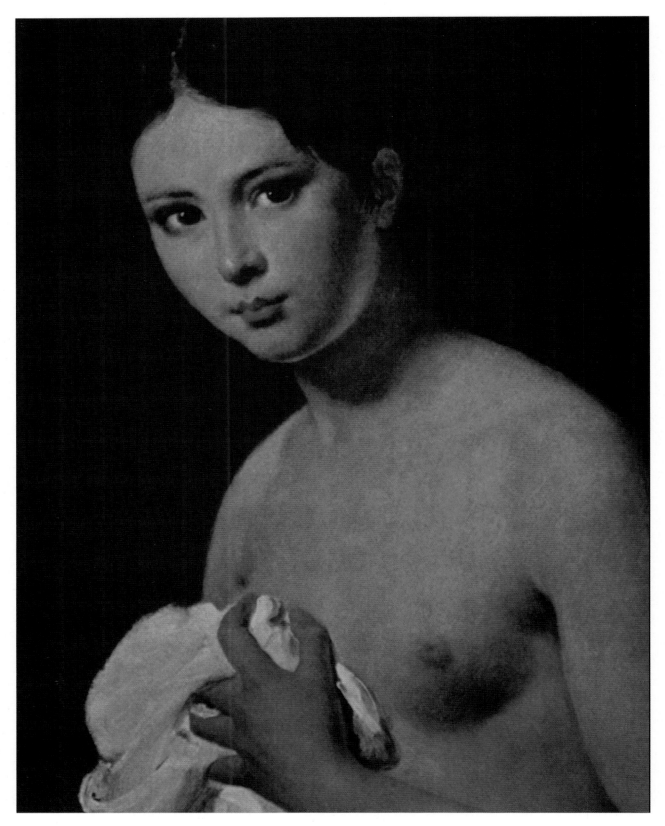

Jeune Fille, *de Jacques Louis David.*

Madame Recamier, *de Jacques Louis David.*

Madame Seriziat, *de Jacques Louis David*.

Monsieur Seriziat, *de Jacques Louis David.*

Bonaparte au Pont d'Arcole, *de Antoine-Jean Gros.*

Retrato de Madama Pasteur, *de Antoine-Jean Gros.*

onduladas colinas y aguas serenas, o a recrear este canon ideal a través de los paisajes de su patria, como el bellísimo *Monte Snowdon* (Liverpool, Galería Walker). Otros artistas británicos de la Escuela de Norwich persiguieron también esta veta clásica, pintando vistas en las que áreas iluminadas y en sombra se suceden en profundidad de forma zigzageante para dulcificar la transición ambiental hacia el centro del cuadro, donde confluyen las líneas de perspectiva. Pero el gran maestro de este paisaje geométricamente idealizado fue el londinense Joseph Mallord W. Turner, que en su última madurez fue un genio romántico, mas durante muchos años estuvo absolutamente obsesionado con emular los paisajes clásicos de Claudio de Lorena, como prueban sus vistas antiquizantes de valles o de ciudades-puerto, por ejemplo su *Dido construyendo Cartago* (Londres, Galería Nacional).

El Neoclasicismo moralizante de David y sus seguidores

Paradójicamente, el nuevo estilo que había echado a andar capitaneado por los jerarcas de las academias artísticas, llegó a su máximo apogeo de la mano de un revolucionario que cuando estuvo en el poder decretó en 1793 la desaparición de la Real Academia de París. Este radical, Jacques-Louis David, no fue menos exaltado en su abanderamiento del Neoclasicismo, desde que llegó a Roma como pensionado* y cayó bajo la influencia de la pasión antiquizante que allí habían desatado Mengs, Winckelmann y otros eruditos.

En Roma creó y expuso en 1785, antes de enviarla a París, la obra que le dio su primer gran éxito, *El juramento de los Horacios* (París, Museo del Louvre). El cuadro, pintado para el rey Luis XVI, ensalza la primacía de la lealtad militar a la patria sobre los lazos familiares, a través de un episodio de la historia antigua de Roma, cuando los tres hijos de Horacio el Viejo lucharon a muerte en nombre de su ciudad contra tres hermanos representantes de la vecina villa de Alba, a pesar de que ambas familias estaban emparentadas. David no se interesó ni por el final trágico de la historia, ni por el fragor de la lucha, sino que tomó una opción muy característica suya al elegir en cambio el momento anterior,

La muerte de Marat, *de Jacques-Louis David; Bruselas, Reales Museos de Bellas Artes.*

Puente sobre el Brenta, *de Bernardo Belloto.*

Castillo de Nymphenburg, *de Bernardo Belloto.*

El viejo puente, *de Hubert Robert*.

Vista de Pirna,
*de Bernardo
Belloto*.

Las fuentes, *de Hubert Robert*.

El pórtico, *de Hubert Robert.*

La terraza, *de Hubert Robert.*

El jardín romano, *de Hubert Robert*.

La danza, *de Hubert Robert.*

en que los personajes están paralizados en un gesto que trasluce la intensidad de su drama interior: el patriotismo de padre e hijos, la fidelidad al marido de la hermana de los adversarios que permanece del lado de los Horacios abrazada a sus niños, y el desmayo que tumba a la única hija fuera del triángulo compositivo sin que le haga compañía más que una sirvienta arrodillada, como anunciando que al final esta familia va a matarla por quejarse de la suerte de su novio ahora declarado enemigo.

La misma composición en triángulos con figuras en dos bandos e idéntica carga moralizante personificada en héroes dispuestos al sacrificio con neoclásica contención expresiva volvemos a encontrar en sus siguientes cuadros dedicados a temas históricos antiguos, como *La muerte de Sócrates* (Nueva York, Museo Metropolitano de Arte), *Los lictores llevando a Brutus los cadáveres de sus hijos* (París, Museo del Louvre), *Las Sabinas* (París, Museo del Louvre) y *Leónidas en las Termópilas* (París, Museo del Louvre). También eligió en todos ellos el instante de reflexión anterior o posterior al desenlace argumental.

Boceto de un cuadro de Giovanni Battista Piranesi.

Pero esta receta de éxito la llevó David a su punto más alto en 1793 con su obra maestra, *La muerte de Marat* (Bruselas, Reales Museos de Bellas Artes), donde no representa el acuchillamiento del periodista y agitador, sino el momento de después, en que el moribundo reposa los brazos abiertos en triángulo sosteniendo una mano aferrada al papel con que su homicida se había presentado, mientras que la otra cuelga hacia el suelo donde ha caído el cuchillo ensangrentado, que se contrapone a la inofensiva pluma de escribir.

Otros detalles, como la caja de madera que semeja una estela funeraria de la Antigüedad clásica —pues hasta hay en ella una inscripción dedicatoria— o el rojo que tiñe el agua de la bañera —que recuerda la muerte de Séneca—, remachan aún más la intención de David de representar a su amigo Marat como un héroe antiguo. Más aún, el fondo oscuro hace destellar la palidez del cuerpo y el blanco luminoso de un extraño turbante que rodea como un nimbo a la cabeza, con lo que aproxima la imagen a la de un santo mártir o del propio Cristo muerto. De hecho, este cuadro fue pintado para presidir a modo de crucifijo las reuniones de los diputados en la Convención Nacional, y es más bien un panfleto político moralizante que un auténtico retrato, pues se idealiza la fealdad del tribuno sin que aparezca el sarpullido que le quemaba la piel y que Marat

Comercio y exposiciones de cuadros

Los siglos XVIII y XIX fueron un momento de popularización del consumo de arte. Esto conllevó un auge del mercado de pinturas que permitió a los artistas su definitiva liberación del sistema gremial y una progresiva relegación del trabajo de encargo en favor de la producción por su propia cuenta y riesgo, sin tener que atenerse a otros dictados que la ley de oferta y demanda.

Muchos contrataron publicidad en la prensa para anunciar sus obras en venta —como hizo el propio Goya con sus *Caprichos*— y algunos más emprendedores hasta llegaron a montar exposiciones como negocio donde había que pagar por pasar —David cobró entrada al público que visitaba en su estudio el cuadro *Las Sabinas*.

Con todo, poco a poco se desarrollaron los intermediarios profesionales, en cuyas manos fue quedando la difusión de las obras: es decir, el crítico desde las páginas de la prensa, y el marchante de arte en su tienda o tenderete —como el que retrata Goya en su cartón para tapiz *Una feria en Madrid* (Madrid, Museo del Prado).

aliviaba con frecuentes inmersiones en la bañera; en ella, con poco claras intenciones, tuvo a bien recibir a su joven asesina... aunque David, más moralizante que nunca, quiere alejar cualquier sospecha de acoso sexual tapando la desnudez con una acumulación improbable de sábanas, mantas y tableros.

En esta veta de propaganda política en imágenes destacaron también con gran éxito muchos seguidores de David, que en sus años de apogeo durante la República y el Imperio tuvo un taller numeroso de discípulos franceses y extranjeros. Entre los franceses corresponde la primacía a Antoine-Jean Gros, que hasta desbancó a su maestro como pintor favorito de Napoleón, quizá porque le aduló más abiertamente, heroificándole en sus retratos y rindiéndole culto casi religioso con pinturas sobre sus hazañas militares, como *Los apestados de Jaffa* (París, Museo del Louvre) en

La apoteosis de Homero, de Ingres; París, Museo del Louvre.

Bonaparte, primer Cónsul, *de Ingres; Lieja, Museo de las Armas.*

Autorretrato, *de Ingres; Chantilly, Museo Condé.*

La fuente, *de Jean Auguste Dominique Ingres.*

Madame de Sennones, *de Jean Auguste Dominique Ingres*.

Francoise Renee, Marquesa d'Antin, *de Jean Marc Nattier.*

Maria Antonietta, *de Elisabeth Vigee-Lebrun*.

Retrato de Mademoiselle Riviere *(1805), de Jean Auguste Dominique Ingres*.

Retrato del violinista Paganini, *de Jean Auguste Dominique Ingres*.

donde Bonaparte parece curar con su mano a los leprosos de esa ciudad egipcia, cuando en realidad los mandó envenenar a todos para evitar que contagiaran a sus soldados. A la larga, sin embargo, el discípulo de David más destacado fue Jean Auguste Dominique Ingres, que tampoco tuvo empacho en firmar cuadros de abierta adulación política a Napoleón y a los Borbones, aunque fue sobre todo un refinado retratista de la alta burguesía. También hizo grandes lienzos mitológicos o alegóricos, como *La apoteosis de Homero* (París, Museo del Louvre), y su estilo siguió fiel al Neoclasicismo hasta bien entrada la época romántica.

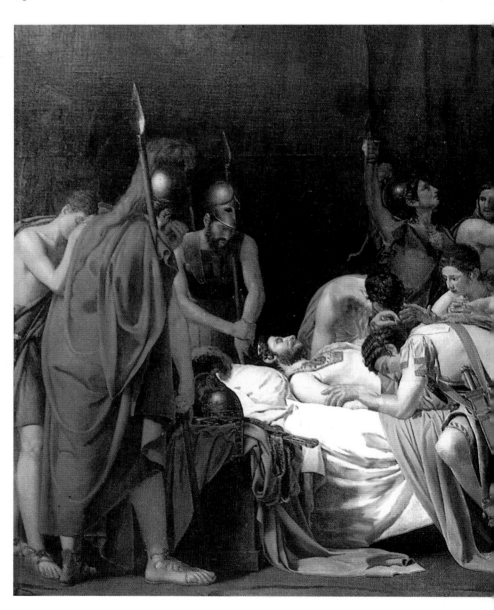

Otro tanto puede decirse del más famoso discípulo extranjero de David, el danés Christoffer Wilhelm Eckersberg, que destacó en los desnudos femeninos y los retratos, como el famoso *Retrato de Thorvaldsen* (Copenhague, Real Academia Danesa de Bellas Artes). Entre los davidianos españoles el más importante fue José de Madrazo, que en su *Muerte de Viriato* (Madrid, Museo del Prado, Casón del Buen Retiro) demuestra cuánto había aprendido de su maestro David, incluso en la politización del llanto por la muerte del caudillo lusitano, antiquizante prefiguración de los héroes hispanos que en la Guerra de Independencia también se habían enfrentado a un imperio invasor.

La muerte de Viriato, *de José de Madrazo; Madrid, Museo del Prado, Casón del Buen Retiro.*

GOYA

La cronología de Francisco de Goya y Lucientes, nacido en Fuendetodos (Zaragoza) en 1746 y muerto en Burdeos en 1828, coincide exactamente con el período histórico de mayor auge del Neoclasicismo, y sin embargo este personalísimo artista alcanzó el triunfo en su profesión haciendo muy pocas concesiones al estilo imperante.

Un artista de la Ilustración, pero al margen del Neoclasicismo

Goya cumplió con el inevitable viaje de formación en Italia, fue miembro destacado de la Academia de San Fernando de Madrid, fue también amigo de los ilustrados afrancesados, a los que retrató a menudo —Jovellanos, Moratín, Meléndez Valdés, Ventura Rodríguez, etc.—, dejándose contagiar por ellos en su volteriana defensa de la razón contra los fanatismos y supersticiones; pero apenas pintó alegorías, temas mitológicos, o historias de griegos y romanos. Admiró las obras de Mengs, Flaxman y otros maestros neoclásicos, pero su estilo característico es una pintura muy colorista y poco silueteada, debido a su gran soltura de pincelada.

Así pues, por más que Goya fue hijo de su tiempo y no estuvo del todo inmune a la cultura del Neoclasicismo, es evidente que por su estilo —y por su importancia excepcional— merece ser tratado aquí en capítulo aparte. La tradición barroca pervivió en muchas de sus composiciones, particularmente en las religiosas, para las que se inspiró frecuentemente en estampas italianas; mientras que en casi todos sus grabados, dibujos y cuadros de temática histórica su desbordante expresividad no podía contenerse en los mesurados cauces neoclásicos y abrió vías al gusto de los románticos, los impresionistas y los expresionistas.

Esta variedad de registros, y el profesionalismo con que practicó contemporáneamente las más diversas técnicas, hacen difícil explicar el conjunto de su obra, pues Goya no evolucionó estilísticamente siguiendo una trayectoria lineal, sino que, según su conveniencia, en cada obra se acercó a uno u otro estilo sin llegar a adoptar ninguno plenamente. Mucho más determinante que la influencia de los estilos artísticos fue el peso de los acontecimientos de su biografía, que sí marcaron etapas bien diferenciadas en su producción.

Fusilamientos del 3 de Mayo, *detalle, de Goya; Madrid, Museo del Prado.*

Esta es de las pinturas más famosas de Goya.
Este es solo una parte del cuadro, pero observa las expre-
siones. El cuadro abarca toda una pared.

Goya es & uno de los
orgullos. de España
y sobre todo del
Museo del Prado.
al igual que Velazques
pero en otra ocasión de
te hablaré de él.

Los zancos, *de Francisco*
de Goya.

Primera etapa: la lenta ascensión de un debutante algo soberbio

Goya, a quien tantas veces se le califica de genio, no fue ni un joven superdotado ni un artista precoz y tardó muchos años en alcanzar un mediano reconocimiento. Eso sí, nunca le faltó ambición y confianza en sí mismo, por lo que él siempre atribuyó a mangoneos de envidiosos las contrariedades que tuvo con el Cabildo del Pilar de Zaragoza, que no apreció mucho sus dos frescos y no le encargó más; con la Academia de San Fernando, que nunca le dio beca para Italia y le relegó por dos veces en el examen de ingreso a académico, y con el mediocre cuadro de altar que pintó para la iglesia de San Francisco el Grande de Madrid, del que él esperaba una gran reputación en la corte. Goya no estaba por entonces en la avanzadilla de su

Los cacharreros, *de Francisco de Goya; Madrid, Museo del Prado.*

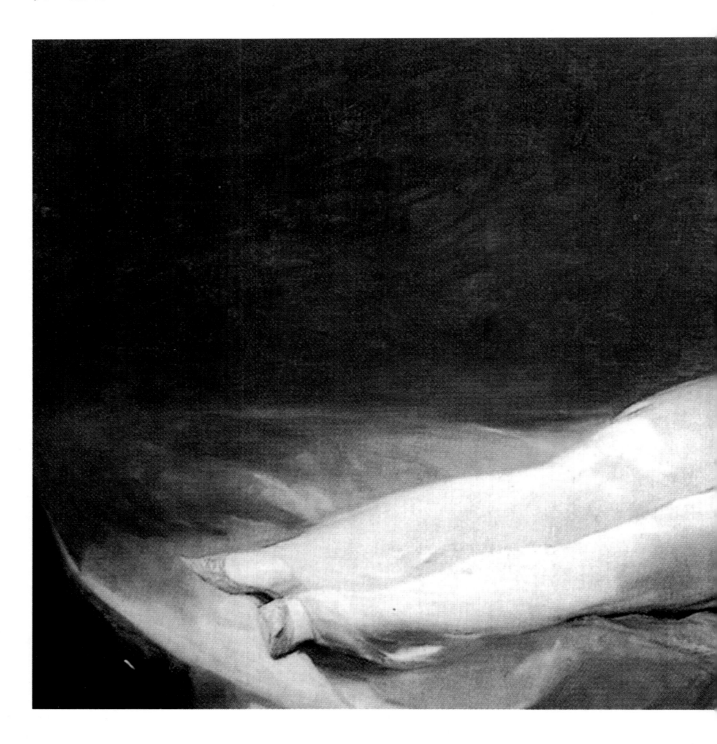

La maja vestida, *de Goya;*
Madrid, Museo del Prado.

En la Portada del libro está la
Maja desnuda.

La vendimia, *de Francisco de Goya*.

Las floreras, *de Francisco de Goya.*

La primavera, *de Francisco de Goya.*

tiempo; sólo en los frescos de la iglesia del monasterio cartujo de Aula Dei, en las afueras de Zaragoza, se abre algo al nuevo gusto clásico, prescindiendo de los rompimientos de cielo y escorzos barrocos, pero sigue servilmente modelos ya caducos en casi todos los demás encargos, que por cierto consiguió gracias a un hábil casamiento con una hermana del muy influyente pintor Francisco Bayeu.

Él fue quien le. instaló en Madrid, dándole un puesto de trabajo seguro como pintor de cartones en la Real Fábrica de Tapices de Santa Bárbara, tarea que ofrecía a Goya una tranquilidad de pequeño funcionario. Tampoco desempeñó esta labor sin críticas, pues sus composiciones eran casi siempre poco apropiadas para ser tejidas por los tapiceros, pero le salvó la brillantez de sus colores tornasolados, con los que adulaba al ejemplo del todopoderoso Mengs. También imitó literalmente su Cristo del Palacio de Aranjuez, juntándolo al fondo negro del Cristo de Velázquez, al pintar el *Cristo en la cruz* (Madrid, Museo del Prado), con el que por fin consiguió Goya ser admitido en la Academia de San Fernando en 1780. Personalmente no era nada afín a las preceptivas artísticas; sólo ambicionaba el título de académico porque daba prestigio y podría abrirle importantes puertas: por ejemplo, le llegaron entonces encargos de gentes de alcurnia, de quienes Goya hizo retratos todavía muy del gusto rococó, con los protagonistas rodeados de símbolos barrocos de poder —cortina, sitial, mesa, reloj— y autorretratándose a sí mismo haciendo reverencias serviles delante del ministro Floridablanca o delante de la familia del infante don Luis de Borbón.

Segunda etapa: Goya pintor de moda entre las elites madrileñas

Por idénticos motivos, este provinciano aprendiz de cortesano ambicionaba el título de «pintor del rey», que consiguió en 1786, aunque esto sólo significaba ser uno más entre los muchos pintores al servicio de Carlos III, el gran adalid del Neoclasicismo, quien apenas posó para este artista que tan poco se adaptaba a su gusto. Pero tal como Goya esperaba, esta nueva posición le catapultó al servicio de las más altas capas sociales, por ejemplo los duques de Osuna, que le encargaron abundantes decoraciones para su

Gaspar Melchor de Jovellanos, *de Goya*.

Duquesa de Alba,
de Goya.

La familia de Carlos IV,
de Goya; Madrid,
Museo del Prado.

Fernando VII en su campamento, *de Goya; Madrid, Museo del Prado.*

Palacio de la Alameda, cuadros de altar para capillas suyas en Valladolid y Valencia, y retratos de familia: en estas obras Goya evoluciona lentamente de la pintura galante rococó a la severa simplicidad neoclásica, como puede verse sobre todo en el bellísimo retrato de sus patronos, *Los duques de Osuna y sus hijos* (Madrid, Museo del Prado), donde ya no hay cortinas ni demás parafernalia barroca, sino un fondo oscuro sobre el que se recortan los personajes con pose de relajada naturalidad, que Goya no se atrevió a llevar muy lejos en el caso de la encorsetada duquesa y del empolvado y empelucado duque, mientras que los retratos de los niños derrochan ternura e ingenuidad.

Otro eslabón en el lento ascenso profesional de Goya fue su nombramiento en 1789 como «pintor de cámara» por el nuevo rey Carlos IV, cargo mucho más selecto, que le permitía acceso directo a los reyes. Son éstos los años más prolíficos de su vida, en que, sin dejar su puesto de trabajo seguro en la Fábrica de Tapices, se convirtió también en el pintor de moda en Madrid, el retratista favorito de los ricos y famosos. Tanta saturación de encargos le indujo a abreviar su ejecución, así que fue desentendiéndose de muchos detallismos. Esta progresiva simplificación queda patente en el retrato de la *Marquesa de Solana* (París, Museo del Louvre), donde ha sustituido ya los brillantes colores rococós por gamas de negros, plateados, ocres y blancos sedosos, más al gusto de la austeridad neoclásica. Pero Goya no perderá nunca el gusto por los contrastes coloristas: un gran lazo rosa, un pañuelo rojo o unos pantalones amarillos, como los que luce el retrato de su amigo gaditano, el coleccionista *Sebastián Martínez* (Nueva York, Museo Metropolitano), a quien visitaba el artista en 1792 cuando contrajo una grave enfermedad que le dejó sordo y a punto estuvo de matarle.

Si Goya hubiera muerto entonces, hubiera pasado a la historia como un equivalente español de Reynolds; es decir, un retratista brioso y colorista menos afortunado en temas religiosos, mitológicos o históricos afines al Neoclasicismo. Lo mejor de su obra estaba todavía por venir, y es muy admirable que su sordera, que evidentemente era una disminución física para el trato con sus ilustres clientes, no le supuso ninguna discriminación laboral. Al contrario, en 1795 fue nombrado director de pintura de la Academia de

El juego de la gallina ciega,
de Francisco de Goya.

Doña Isabel
Cobos de Porcel,
*de Francisco
de Goya*.

Retrato de S. García, *de Francisco de Goya*.

Corrida de toros en un pueblo, *de Francisco de Goya*.

Don Manuel Osorio de Zuñiga, *de Francisco de Goya*.

San Fernando (renunció a los dos años, alegando su
enfermedad, pero lo cierto es que Goya no tenía vocación
de profesor, y ese eslabón en su carrera quiso pasarlo
cuanto antes hacia otro superior), alcanzando en 1799 el
más alto puesto —y el mejor pagado— de su profesión:
«primer pintor del rey».

Siguió siendo muy prolífico y polifacético, pues los
duques de Osuna y la duquesa de Alba competían por sus
servicios, y tanto el rey como la reina, María Luisa, y su
valido, Manuel Godoy, le desbordaban con encargos de
todo tipo. A pesar del mal recuerdo que guardaba del Pilar
de Zaragoza, volvió otra vez a pintar frescos para una
cúpula de iglesia, por encargo de Carlos IV —la ermita de
San Antonio de la Florida en las afueras de Madrid era un
patronato real—. Fue uno de sus mejores trabajos, donde
nos presenta al santo resucitando a un muerto ante una
audiencia de tipos populares parecidos al alegre gentío de
sus cartones para tapiz, y aunque haya un escorzo
ilusionista, la composición no es nada barroca porque no
ambienta el milagro con intervenciones celestes.

En esta época alcanzó también su máximo apogeo
como retratista, enriqueciendo su anterior evolución hacia
la severidad de los colores plateados y los fondos neutros
con un rasgo de madurez y su creciente maestría en
retratar la psicología del retratado. En esta línea su obra
más ambiciosa, donde la fisionomía y los ademanes de
cada personaje son muy reveladores de su carácter íntimo,
es el retrato múltiple de *La familia de Carlos IV* (Madrid,
Museo del Prado), que remeda *Las Meninas* de Velázquez,
aunque en este caso las figuras se alinean ante un muro
indeterminado en vez de estar distribuidas en profundidad
por un espacio-caja barrocamente ampliado con un espejo
y una puerta abierta. En cuanto a los retratos individuales,
su obra maestra fue el de la *Condesa de Chinchón*
(Madrid, duques de Sueca): un fondo neutro reemplaza a
los cortinajes y otros atributos de poder, concentrando
toda la atención en el retrato psicológico de esta tímida
joven de veinte años casada con Godoy, a la que Goya
agracia contrastando su rostro de frágil embarazada con
un tocado de espigas —guiño neoclásico que la convierte
en trasunto de Ceres, la diosa de la agricultura y la
fertilidad.

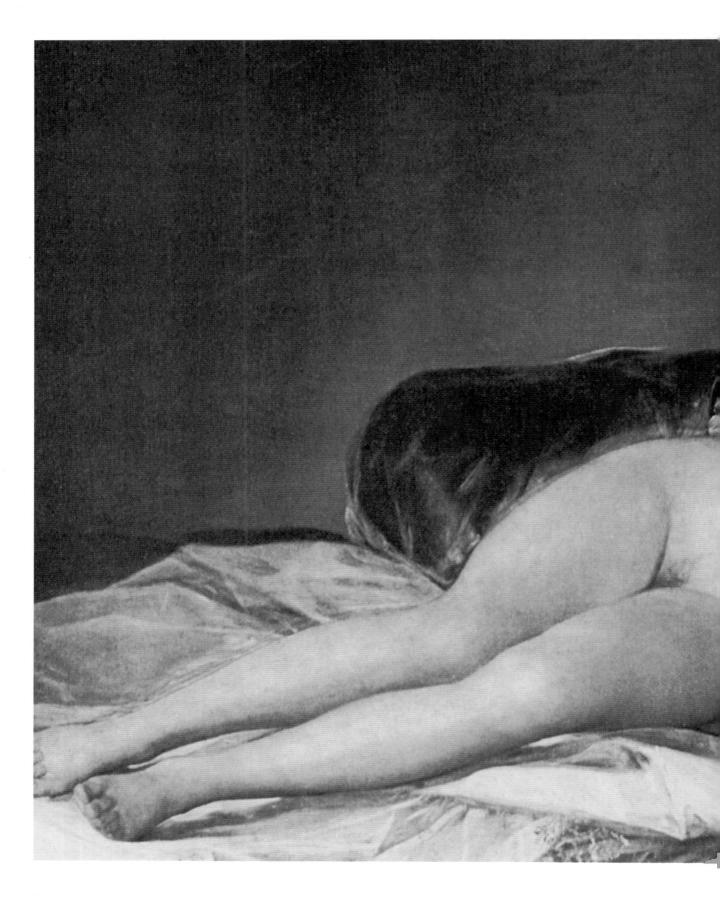

La maja desnuda,
de Goya; Madrid,
Museo del Prado.

Y ésta soy yo:
No te creas es la
maja. desnuda,

Tercera etapa: un artista cada vez más «moderno»

La sordera no había afectado en principio a su carrera, pero Goya perdió su jovialidad y poco a poco fue volviéndose más retraído. Así empezó una doble vida como artista, y por más que siguió siendo un retratista de éxito que acumulaba encargos lucrativos de cuadros para palacios y capillas, su concentración se fue volcando cada vez más en trabajos privados, pequeñas obras muy experimentales que realizaba para sí mismo y sus más allegados: emborronaba papeles con tinta a la aguada en lugar del dibujo tradicional a lápiz, pintaba sobre cobre o marfil e íntimos cuadritos de gabinete con temas escabrosos, ensayaba las más recientes técnicas de grabado combinándolas en sus estampas.

Esta parte de la obra de Goya, que se convertía en un artista cada vez más imaginativo y experimental, es la que más ha fascinado a la posteridad, pero ésta era una faceta oculta para el público de la época. Aunque el 6 de febrero de 1799 había anunciado a toda página en el *Diario de Madrid* la venta de una serie de ochenta estampas caricaturescas titulada *Caprichos,* al poco tiempo retiró estos grabados del mercado, ofreciendo las planchas al rey a cambio de una generosa pensión de por vida a su hijo Javier Goya. Sus siguientes álbumes de grabados, con excepción de la *Tauromaquia,* ni siquiera los puso a la venta. Quizá el fanatismo dominante en España durante la Guerra de la Independencia y después bajo la restauración borbónica pareció a Goya un clima poco propicio para dar a conocer sus fantasías y obsesiones privadas, o los muy personales posicionamientos críticos sobre política, religión y costumbres que manifiesta en series como los *Desastres de la guerra* o los *Disparates.*

Con todo, estas «obras menores» —dibujos, grabados, cuadritos de gabinete—, de libre inspiración y audaz experimentalismo técnico, acabaron también influyendo en su «pintura oficial», sobre todo en *El dos de Mayo de 1808 en Madrid* y *Los fusilamientos del tres de Mayo* (Madrid, Museo del Prado), dos grandes cuadros que pintó en 1814 para negar su imagen de afrancesado y así mantener el puesto de «pintor de cámara» cuando Fernando VII volvió a España. En ellos ha superado completamente la estética neoclásica de David, Gros e Ingres, pues no reinterpreta en clave de

Saturno devorando a su hijo, *de Goya.*

Aquellos polvos, *de Goya* (Los Caprichos).

propaganda patriótica aquellos episodios históricos, que él había presenciado seis años antes, y en vez de un repertorio de actitudes heroicas que idealice a los personajes como modelos a imitar, presenta tanto a los que matan como a los que mueren como pobres víctimas de un destino lamentable, al estilo de lo que había hecho en muchos de sus grabados y obras íntimas.

Así pues, el Goya más personal y adelantado a su tiempo fue contaminando la producción del Goya público, de manera que tanto los retratos de Fernando VII o de sus ministros como sus cuadros devocionales para los escolapios de Madrid o para la catedral de Sevilla, abundan en gestos caricaturescos y están pintados con rápidos toques dominados por colores sombríos. Esto le fue alejando del favor de los encargantes, todavía anclados en el gusto neoclásico, lo cual a su vez incitó al viejo Goya a recluirse a trabajar cada vez más para sí mismo y en su propio estilo.

Nada más lejos del Neoclasicismo, a pesar de ser un tema mitológico, que ese desesperado y expresionista *Saturno devorando a su hijo* (Madrid, Museo del Prado) que pintó en la pared del comedor de la Quinta del Sordo. Todo un enigmático mundo de extrañas imágenes, las llamadas «pinturas negras», poblaba las paredes de esa casa de campo en las afueras de Madrid, adonde se retiró en 1819 para evitar escándalos en el ambiente tan conservador de la capital, temiendo que le denunciasen por vivir con Leocadia Weiss, una mujer liberal y divorciada, muchos años más joven que él. Tres años más tarde marcharon los dos a Burdeos, ciudad francesa donde se concentraba una importante población de exiliados españoles, entre los que ambos tenían muchos amigos, algunos de los cuales fueron retratados por Goya con sus típicos brochazos negros de entonces, como *Leandro Fernández de Moratín* (Bilbao, Museo de Bellas Artes) o *Juan Bautista de Muguirio* (Madrid, Museo del Prado). Pero lo más conocido de aquellos últimos años de Goya ya octogenario, que evitó los temas de crítica política o religiosa porque seguía cobrando su sueldo de Fernando VII, son sus litografías de *Los toros de Burdeos* y sus cuadros de género en que pinta personajes populares, como *La lechera de Burdeos* (Madrid, Museo del Prado), con un estilo abocetado que anuncia el apasionamiento del Romanticismo.

El parasol,
de Francisco de Goya.

PARA SABER MÁS

Bibliografía

BOZAL, V.; *Goya. Entre Neoclasicismo y Romanticismo,* Col. «Historia del Arte», 38, Historia 16, Madrid, 1989.

HENARES, I., y GUILLÉN, E.; *El Arte Neoclásico. La época de la Ilustración,* «Biblioteca Básica de Arte», Anaya, Madrid, 1992.

HONOUR, H.; *Neoclasicismo,* Xarait, Madrid, 1982.

KAUFMANN, E.; *La arquitectura de la Ilustración,* Gustavo Gili, Barcelona, 1974.

NOVOTNY, F.; *Pintura y escultura en Europa, 1780-1880, «Manuales de Arte»,* Cátedra, Madrid, 1986.

PÉREZ SÁNCHEZ, E., y SAYRE, E.; *Goya y el espíritu de la Ilustración,* Museo del Prado, Madrid, 1988.

PRAZ, M.; *Gusto neoclásico,* Gustavo Gili, Barcelona, 1982.

RODRÍGUEZ, D.; *Del Neoclasicismo al Realismo. La construcción de la Modernidad,* Col. «Conocer el Arte», 8, Historia 16, Madrid, 1996.

Sugerencias prácticas

Viajes/Museos

Hay ciudades como Cádiz y San Sebastián en las que abundan los edificios neoclásicos, porque renacieron en esa época con prosperidad; pero cualquiera que sea la ciudad en la que vivimos seguro que podemos encontrar fachadas de piedra con columnas y frontones, si nos fijamos en los edificios de gobierno, palacios de justicia, puertas monumentales, museos o bibliotecas, teatros principales, grandes bancos, etc. No todos serán de época neoclásica, pero si adoptan ese estilo es para dar impresión de lugar de inveterada solidez y libre de imprevistos desasosiegos.

Merece la pena visitar también las salas dedicadas al Neoclasicismo y a Goya en los museos más cercanos. Lo mismo que en las arquitecturas buscamos columnas y frontones, que son homenajes a la cultura de Grecia y Roma, debemos rastrear en las esculturas y pinturas las referencias a la mitología o a la historia grecorromana. Por otra parte, percibiremos que también domina en estas artes la idea de tranquilidad, subrayada por la ausencia de movimientos rápidos o gesticulaciones apasionadas.

Películas

Pero si tanta calma y orden geométrico nos aburre, quizá podamos ver una película de Peter Greenaway, cuyo título es *El vientre del arquitecto,* para comprobar lo apasionante que puede ser tratar de revivir el Clasicismo.

Vocabulario

- **Canon:** Tipo ideal de proporciones conforme a una norma clásica establecida.

- **Cenotafio:** Monumento funerario que no guarda el cadáver del difunto.

- **Contrapposto:** Colocación de unas partes del cuerpo en movimiento frente a otras en reposo, que son contrapuestas de modo armónico; es término italiano.

- **Despotismo ilustrado:** Política propia del período final del absolutismo monárquico, en que los monarcas introdujeron muchas mejoras en la vida de sus súbditos en educación, sanidad y economía, pero sin cambios políticos.

- **Gliptoteca:** Colección de esculturas y materiales pétreos; deriva del griego.

- **Grand Tour:** Expresión inglesa que se refiere al viaje de unos años por los monumentos de Italia y otros países europeos con que era costumbre, en el siglo XVIII, culminar la educación de artistas y jóvenes con medios económicos.

- **Idealismo:** Tendecia a representar formas perfectas, arquetípicas, sin defectos ni rasgos individuales; su contrario es el «naturalismo», propio de estilos realistas.

- **Ilustración:** Movimiento cultural del siglo XVIII que rechazaba visceralmente al oscurantismo, superstición y fanatismo religioso, promocionando la ciencia, el progreso, la libertad y la razón.

- **Masonería:** Organización de hombres que practican ritos secretos en asociaciones llamadas «logias», la primera de las cuales se creó en 1721.

- **Pensionado:** Persona beneficiaria de beca o «pensión»: real, académica, etc.

- **Pinacoteca:** Colección de pinturas; el término aparece ya en santuarios griegos.

- **Revolución industrial:** Rápida sucesión de avances técnicos, sobre todo a partir del vapor, y a la multiplicación de industrias, sobre todo textiles, que tuvo lugar en el siglo XVIII, comenzando por Inglaterra.

- **Revolución urbana:** Incremento espectacular de la población en las ciudades, que se produjo paralelamente a la revolución industrial, porque los avances técnicos ahorraban mano de obra en el campo, mientras que las industrias de las ciudades necesitaban abundantes obreros.

- **Salon (sin acento):** Así llamaban en París a las exposiciones que organizó la Academia cada año o cada dos, de 1737 a 1885; el nombre deriva de la que fue su sede muchas veces, el *Salon Carré* —salón cuadrado— del Palacio del Louvre.

Cronología

POLÍTICA-SOCIEDAD

Tratado de Utrecht (hegemonía marítima de Inglaterra y de Francia en el continente) (1713).
Terremoto en Lisboa, el marqués de Pombal la urbaniza ex novo (1755).
Guerra de los Siete Años en Europa (1756-1762).
Watt inventa la máquina de vapor (1769).
Declaración de independencia de los Estados Unidos de América (1776).
Toma de la Bastilla el 14 de julio, Revolución Francesa (1789).
Napoleón se corona emperador (1804).
Batalla de Trafalgar (1805).
Levantamiento del 2 de mayo en Madrid, Guerra de Independencia (1808).
Batalla de Waterloo (1815).

CULTURA

Voltaire publica sus *Cartas filosóficas* y Montesquieu las *Consideraciones sobre las causas de la grandeza de los romanos y su decadencia* (1734).
Descubrimiento de las ruinas de Pompeya (1748).
Primera edición de la *Enciclopedia* de D'Alembert y Diderot (1751).
J. D. Le Roy publica *Las ruinas de los más bellos monumentos de Grecia* (1758).
James Stuart publica *Las antigüedades de Atenas* (1762).
Winckelman publica *Historia del arte en la antigüedad* (1764).
Gibbon publica el primer volumen de *La decadencia y caída del Imperio Romano* (1776).
Kant culmina su *Crítica de la razón pura* (1781).
Estreno de *Don Giovanni*, ópera de Mozart (1787).
Goethe escribe *Los propileos* (1798-1800).
Estreno de *La Creación*, oratorio de Haydn (1798).
Estreno de *Fidelio*, Ópera de Beethoven (1805).
Lord Elgin vende las esculturas del Partenón para el Museo Británico (1816).

ARTES VISUALES

La Real Academia organiza el Primer Salón de Pintura en París (1737).

Piranesi publica sus *Vedute* (1745).

Mengs pinta su fresco *El Parnaso,* en Villa Albani, Roma (1761).

David pinta *El juramento de los Horacios* y Boulée diseña un *Cenotafio a Newton* (1784).

Schadow esculpe los caballos para la Puerta de Brandeburgo en Berlín (1791).

David pinta *La muerte de Marat* (1792).

Goya publica *Los Caprichos* (1799).

Flaxman esculpe el monumento a Lord Nelson en la catedral de S. Pablo de Londres (1809).